D0227249

Nom d'un chien

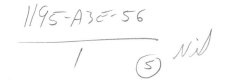

Kéthévane Davrichewy

Nom d'un chien

Illustrations d'Alan Mets

Mouche

l'école des loisirs

11, rue de Sèvres, Paris 6e

© 2001, l'école des loisirs, Paris
Loi n° 49.956 du 16 juillet 1949 sur les publications
destinées à la jeunesse : octobre 2001
Dépôt légal : octobre 2001
Imprimé en France par l'imprimerie Mame à Tours (n° 01082104)

À Mamou

Pour Thémo,
Louka et Thomas

Chapitre 1

– C'est pour toi, dit Mae en poussant vers moi un grand paquet rouge qui semble être un livre.

– Pour moi?

Mae ne fait jamais de cadeaux. Pour les anniversaires, elle nous donne une enveloppe avec un peu d'argent, elle ne peut pas choisir de cadeaux, elle ne va pas dans les magasins. D'ailleurs, Mae ne va jamais nulle part, elle vit assise dans son appartement autour de sa table ronde. Elle a une maladie qui l'empêche de respirer. Elle ne peut pas sortir, elle ne le peut plus depuis long-temps. La nuit, elle doit mettre un tuyau relié à une bouteille d'oxygène devant sa bouche. La journée, elle fait le moins de mouvements possible et inspire fort et souvent. Ce n'est pas triste, les gens viennent la voir, ils aiment s'asseoir près d'elle et raconter des tas d'histoires, Mae aime écouter, elle aime rire aussi.

Ce jour-là, elle semble rire toute seule bien qu'aucun son

ne sorte de sa bouche. Je déchire le papier rouge qui enveloppe le livre. Je vois la photo de deux chiens roux avec de longues oreilles qui me regardent d'un air navrant. Au-dessus de la photo est écrit : « *Le Larousse des chiens.* »

Maman se penche vers le livre, elle fronce les sourcils et se tourne vers ma grand-mère.

– Je crois que tu t'es trompée c'est pour Arthur, lui dit-elle.

Arthur est mon cousin, il a une passion pour les animaux.

– Pas du tout, répond Mae en haussant la voix, je suis sûre

que les chiens peuvent aussi inté-resser Lou.

Je n'ose pas lever les yeux vers elle mais je sens à son ton qu'elle est ravie.

Avant sa maladie, Mae a eu des chiens, je sais qu'ils lui man-quent, elle en parle souvent avec ses voisins, elle peut passer des heures à évoquer une façon qu'avait sa chienne de pencher la tête, à comparer les marques de croquettes, à disserter sur les dif-férentes races. J'ai un peu honte mais je reste là et je fais semblant d'écouter. Mae l'a souvent re-marqué.

Elle sait que rien ne peut me faire moins plaisir qu'un livre sur les chiens.

— Lou, va donc nous acheter quelques gâteaux, dit Maman après un silence.

Je pourrais lui rappeler qu'elle vient de commencer un régime mais j'ai compris qu'elle veut rester seule avec Mae. Je prends le porte-monnaie qu'elle me tend et je claque la porte d'entrée.

Je descends quelques marches de l'escalier en faisant beaucoup de bruit puis je remonte sur la pointe des pieds et je colle mon oreille à la porte.

– Qu'est-ce qui t'a pris de lui offrir ce livre ? dit Maman à Mae. Pourquoi veux-tu à tout prix qu'elle aime les chiens ? Elle en a peur et elle est allergique, laisse-la donc tranquille.

– J'ai beaucoup réfléchi, répond Mae, Lou est beaucoup trop craintive, trop solitaire et je pense qu'un chien est la solution à ses problèmes.

– Un chien ? crie Maman, tu es complètement folle, son asthme va tout juste mieux, tu sais très bien qu'elle ne pourra jamais avoir d'animal. De toute façon, elle déteste les chiens.

— Le médecin a dit qu'elle ne pouvait pas avoir de chat, mais un chien, elle pourrait très bien. Tu devrais l'encourager au lieu de l'enfermer dans tes convictions. Elle ne va pas rester toujours une petite fille fragile.

J'en ai assez entendu, je m'éloigne et je vais à la boulangerie. En attendant d'être servie, je me demande si je suis fragile. Je décide que cela ne doit plus me préoccuper. L'important c'est de faire comprendre à Mae qu'on peut être quelqu'un de bien sans aimer les bêtes.

Quand je reviens avec les

gâteaux, Maman et Mae paraissent plus calmes. Mae me dit :

— Lou, je sais que ce livre ne te plaît pas beaucoup mais je te demande de le garder, ça me fait plaisir.

Je hoche la tête et on commence à jouer à la crapette sans plus parler de rien.

Je ferai ce que Mae me demande, je garderai le livre mais je ne l'ouvrirai pas.

Chapitre 2

Le printemps est arrivé.

À l'école je trouve le temps long, je n'aime pas la maîtresse, elle crie.

La nuit je ne peux pas dormir, je pense trop, à ce qui me fait peur, à ce que je déteste. Maman me dit :

— Je ne te comprends pas, il n'y a rien de mieux que d'être dans des draps douillets et de

sombrer dans le sommeil bercée par ses rêves. Laisse-toi aller, pense à des choses agréables.

Je ne peux pas lui dire que rien ne me semble agréable, que dans chaque petite chose agréable que je pourrais trouver en me forçant un peu, il y a une immense chose désagréable qui vient se superposer et prend toute la place. Mes rêves sont des cauchemars.

Je pense à Paul. Paul est le plus beau garçon de la classe, c'est aussi le plus drôle et le plus intelligent bien qu'il soit mauvais élève. Paul ne m'adresse pas la parole, il ne prend conscience de mon existence qu'aux moments où la maîtresse me félicite. Je suis la meilleure de la classe, la chouchoute. Avec moi, elle cesse de crier, ils me regardent tous, ils me détestent, Paul aussi.

Je vais goûter chez Mae, je marche sur le trottoir derrière Paul et ses amis. Je fais un pari avec moi-même : si le feu passe au vert au moment où nous arrivons pour traverser la rue, Paul se tournera vers moi. Nous nous arrêtons devant le feu devenu vert mais Paul, comme chaque fois, ne se retourne pas. Il parle de son anniversaire, de la fête qu'il va faire dans deux semaines. Je fixe le petit bonhomme rouge. Quand il devient vert, je fonce et je cours jusque chez Mae.

Depuis que je rentre seule de l'école, j'ai demandé à Maman de m'attendre devant l'immeuble de Mae. Aujourd'hui, elle n'est pas là. Le hall d'entrée me paraît sombre, je voudrais monter les marches quatre à quatre mais mon cœur bat si fort que j'ai peur qu'il ne s'arrête. Je monte doucement en respirant lentement. Devant chez Mae, les battements se calment dans ma poitrine, ils me font un peu moins mal. Maman ouvre la porte, je la bouscule et je m'éloigne vite vers la salle de bains pour qu'elle ne voie pas mes larmes qui coulent pour rien.

Ni elle ni Mae n'ont rien remarqué. J'ai à peine le temps d'échapper à leurs baisers que Maman se précipite vers moi et me glisse une fourrure toute chaude entre les bras. Je pousse un cri et lui rends immédiatement sa fourrure.

— Quelle horreur ! Qu'est-ce que c'est ?

— Lou, calme-toi, c'est un bébé chien, tu vas l'effrayer. Regarde comme elle est mignonne, elle a deux mois, c'est ta petite chienne.

Je regarde Maman, elle serre la petite fourrure beige contre elle, elle l'embrasse, je voudrais hurler mais aucun son ne franchit mes lèvres.

Maman et Mae échangent un regard conspirateur.

— Tu vas voir, dit Mae, tu vas complètement craquer, c'est un labrador, ce sont des chiens très joueurs et très affectueux.

Mae se lance avec ferveur

dans une grande tirade sur les qualités du labrador. Je n'entends pas, je voudrais l'interrompre, lui dire de ne pas se fatiguer mais mes lèvres semblent scellées.

– Il faut lui trouver un nom, dit Maman avec une voix de petite fille contente. C'est l'année des S, il faut donc un nom qui commence par S, est-ce que tu as une idée?

– On en a déjà quelques-unes, dit Mae en respirant très fort comme quand elle s'énerve.

Je suis anéantie, je m'effondre sur une chaise. Mae prend ça

pour une manifestation d'intérêt et commence à énumérer des noms : «Samba, Scylla, Sable…»

— Souna, dit Maman, je l'ai inventé. C'est joli, non?

Je prends le ton ferme qu'elle a quand elle dit non et j'articule :

— Maman, tu ne penses pas sérieusement garder ce chien à la maison.

Maman ne répond pas, elle pose la boule de poils qui déambule dans l'appartement.

— Tu ne l'as même pas regardée, dit Maman, regarde comme elle est jolie et si attachante.

La boule de poils s'accroupit et un liquide foncé s'étale sur la moquette de Mae.

Maman, qui ne supporte pas les miettes qu'Arthur et moi laissons devant la télévision, se précipite calmement avec une éponge et une bouteille de Perrier.

– Elle a fait pipi, explique-t-elle enthousiaste, c'est normal au début.

Je la regarde faire puis je détourne les yeux, je ne veux pas voir son sourire.

— Tu verras, Lou, dit Mae, un chien c'est tellement de bonheur.

Je renonce à parler.

Nous rentrons à la maison, Maman garde la fourrure blanche serrée contre elle comme si elle tenait un bébé.

Dans la rue, les gens s'arrêtent et mettent leurs mains dans les bras de Maman. Elle continue de sourire et parle de chien.

Je suis seule.

Chapitre 3

— Un chien, c'est du bonheur, a dit Mae.

Ça fait quinze jours que le chien est à la maison et, chaque nuit, je dresse la liste des malheurs qui se sont abattus sur moi :

1. J'ai envie de vomir. Le chien fait pipi et caca dans toute la maison.

2. J'ai honte. Mes parents passent des heures accroupis pour nettoyer.

3. Je suis obsessionnelle.

L'odeur des excréments est insupportable et persistante, elle me poursuit dans mon sommeil, dans la rue, à l'école.

4. J'ai l'air stupide parce que j'ai peur que l'odeur n'ait imprégné mes vêtements, je passe mon temps à me renifler.

5. Je ne peux plus inviter personne. Le sol de l'appartement recouvert de moquette est maintenant constellé d'auréoles.

6. Je ne peux plus voir ma mère seule. Partout où elle va, elle tient une boule de poils dans ses bras. Même au moment de

m'embrasser le soir dans mon lit, elle apporte son précieux trésor espérant que je vais accepter de le prendre dans mes bras.

7. Je ne peux plus compter sur mes parents. Quand ils ne lisent pas des livres sur les labradors ou l'éducation des chiots, ils font des exercices et des jeux et passent leur temps à quatre pattes.

8. Je ne peux plus compter sur personne. Chaque fois que quelqu'un franchit le seuil de la maison, il est immédiatement transformé en admirateur et esclave de la boule de poils.

9. Je n'ai plus d'espace. La maison est devenue une aire de jeux pour chien, il y a un panier dans la cuisine, des croquettes pour chien là où je posais mes feutres, des os, des canards en plastique qui traînent partout. Même ma chambre est envahie et chacun de mes trésors est menacé de finir dans la bouche du chien.

10. Je n'ai plus de solitude. La boule de poils me suit partout, remue la queue bêtement et me regarde avec la même attitude navrante que les chiens en photo sur le livre de Mae. À croire qu'ils

ont tous le même air. Je la repousse mais la boule de poils n'a aucune dignité et revient toujours.

11. Je n'ai plus d'avenir. Papa et Maman m'ont prévenue : dès que le chien aura été vacciné, il faudra le sortir trois fois par jour. Nous ferons partie de la horde ridicule de promeneurs de chiens

qui guettent les crottes, nous serons du côté des pollueurs de rue, nous serons obligés d'avoir des conversations de chiens avec tous les propriétaires de chiens, nous devrons aller marcher dans les forêts pour que le chien puisse se dépenser.

12. Je ne dors plus. Pour toutes ces raisons mais aussi parce que le chien pleure à quatre heures du matin, à cinq heures du matin, à six heures du matin. À sept heures du matin, il faut se lever.

Chapitre 4

Le premier jour où le chien a eu le droit d'aller dehors, Maman s'est précipitée à la sortie de l'école. Elle est immédiatement devenue le principal centre d'attraction, tous les enfants l'ont entourée et se sont penchés vers la boule de poils surexcitée. Paul n'a rien vu, il est passé tout droit, sa fête est dans quelques jours, il ne pense qu'à ça.

Sur le chemin du retour, le regard de Maman ne m'a pas quittée, elle guette un battement de cils, un mouvement de ma bouche, un signe qui indiquerait que le bonheur du chien commence à m'envahir, que je flanche, mais je tiens bon.

– Tu aurais pu faire un effort, Lou, me dit-elle finalement, tu n'as même pas répondu aux enfants qui venaient te parler.

– Pourquoi veux-tu que je leur réponde ? Avant le chien, ils ne m'auraient jamais parlé.

Il y a un silence.

— Justement, dit Maman, grâce au chien, vous pourriez vous rapprocher. Tu sais, ma Lou, la timidité peut faire peur aux autres.

Je hausse les épaules, je n'ai rien à dire, je n'ai pas envie de parler aux autres.

Je sens des larmes au fond de ma gorge, je les avale et je n'y pense plus.

Le soir, les larmes sont à nouveau dans ma gorge, elles remontent et je me mets à pleurer. Maman me caresse les cheveux, elle parle doucement, elle est triste mais je ne peux pas m'arrêter.

Je dis :

– Je ne peux plus continuer, je ne peux pas, je n'aime pas les chiens, vous n'aviez pas le droit de me faire ça.

Je parle, je prononce les mots qui étaient bloqués dans mes larmes, je ne veux pas de ce chien. Le silence revient dans la chambre, la main de Maman est lourde sur ma tête, elle murmure :

– Je suis si déçue, ma Lou, on a cru bien faire, on ne pensait qu'à te rendre heureuse.

Elle discute à voix basse avec Papa dans le couloir.

Je sens une chose humide sur ma main, je la retire brusquement et je m'essuie avec un mouchoir. La chienne est assise

sur le sol, à la tête de mon lit. Elle gémit et s'allonge en me fixant. Elle me dégoûte, je

n'arrive pas à détourner les yeux.
Maman intervient et la repousse
avec douceur.

— Écoute, ma Lou, dit-elle.
(Elle a du mal à articuler.) Est-ce
que ça te soulagerait si l'on don-

nait la chienne à Arthur ? Je pense que ta tante accepterait de la prendre.

Je réponds oui sans hésiter et je demande :

— Mais toi et Papa vous seriez tristes ?

— Oui sans doute, mais on sait qu'elle sera bien avec Arthur et puis ce qui compte, c'est toi.

Je hoche la tête, je me sens fatiguée, je prends la main de Maman, je veux qu'elle reste un peu. Je ne pourrai pas dormir.

Chapitre 5

Ma décision est prise. Souna ira chez Arthur, il l'attend avec impatience. Mae n'a rien dit mais je sens qu'elle m'en veut.

Je suis soulagée, à côté de tout ce à quoi j'ai échappé, même l'école me semble facile.

Le lendemain, j'accepte de tenir la chienne en laisse pendant que Maman va remplir un questionnaire dans le bureau de la surveillante. Je patiente dans le hall. Des enfants tombent à mes pieds et caressent le bébé chien, je fais un effort, je parle. Un peu.

Paul s'approche et demande :

— Il est à toi ?

Je réponds sans réfléchir :

— C'est une fille, elle a deux mois et demi.

— Je peux la prendre ?

Il soulève Souna et enfouit son visage dans la fourrure beige. Ses cheveux sombres contrastent avec la couleur dorée du pelage.

— Elle est belle. J'adore les labradors. Ce sont des chiens formidables. Ils sont des guides pour les aveugles, ils…

La maîtresse l'interrompt :

— Monsieur Paul Tropini.

Qu'est-ce que fait ce chien dans l'enceinte de l'école?

Je dis:

— Elle est à moi.

La maîtresse me dévisage un moment et dit:

— Sortez immédiatement, c'est interdit.

Paul me sourit et nous sortons tous les deux. Je crois que je souris aussi. Il me tend la chienne, je la reçois contre moi et n'ose pas la lâcher. Elle est douce. Paul s'éloigne, je veux le retenir, je demande:

— Est-ce que tu sais comment on les rend propres?

Ça marche, il s'approche à nouveau, caresse la chienne et m'explique la méthode que mes parents ont entreprise depuis quinze jours. Je lui demande pourquoi il n'a pas de chien puisqu'il les aime tant, il me confie que ses parents n'en veulent pas mais qu'il aura un élevage plus tard. Au moment où il va partir pour de bon, il se retourne, hésite et dit :

– Je fais une fête samedi, est-ce que tu veux venir ?

Je suis à la maison, Maman est descendue faire des courses.

« Est-ce que tu veux venir samedi ? »

Je répète la question de Paul inlassablement dans ma tête. La petite chienne tourne autour de moi, elle a l'air joyeux que je voudrais avoir, elle saute et pose ses pattes sur mon pantalon, je les attrape et je la fais danser. Nous dansons, je chantonne, elle aboie. Je m'allonge sur le tapis, elle s'allonge aussi, se jette sur ma figure et m'attrape le nez, je pousse un hurlement et la repousse brutalement, elle aboie et revient contre moi. Je la maintiens à distance, on se regarde, elle a des yeux noirs, j'ai l'impression qu'elle me parle.

Je m'allonge à nouveau et je dis :

– C'est pas la peine, tu vas partir. Tu entends, tu vas partir avec Arthur.

Elle s'approche et se couche sur mon ventre, elle pose sa tête

sur mon bras sans me quitter des yeux, je n'ose plus bouger, je tends la main vers ses oreilles, elles sont lisses, beiges avec le bout caramel comme si elles avaient trempé dans du café au lait. Elle ferme les yeux, elle dort. Je laisse ma main glisser sur son pelage et je ferme les yeux aussi, son corps me tient chaud. Je m'endors.

Plus tard, quand la nuit est profonde, je garde les yeux grands ouverts sur l'obscurité, je me concentre, je veux penser à la fête de samedi mais la seule chose qui me vient à l'esprit, c'est Souna.

J'entends ses pas sur la moquette, elle s'approche du lit, je devine son regard, je tends la main et je sens sa truffe humide sur mes doigts, elle s'élance et pose ses pattes près de l'oreiller, je l'aide à monter sur le lit, elle se couche contre mes jambes. Je murmure :

— C'est défendu, Maman ne veut pas que tu montes sur les lits.

Elle s'installe plus confortablement et je dis :

— Bon d'accord, tu restes mais tu restes pour toujours.

En me réveillant, je fais des-

cendre Souna du lit avant l'arri-
vée de Maman dans la chambre.

Quand je suis seule à nouveau,
je prends le *Larousse des chiens* de
Mae dans la bibliothèque, je

tourne les pages, je m'arrête sur un chapitre intitulé «Le chien et son maître». Je commence à lire : «Le chien est le meilleur ami de l'homme, dit-on…»

Je pense à Arthur et sans réfléchir, je bondis dans la cuisine où sont attablés Papa et Maman. Je crie :

— Je ne veux pas qu'Arthur soit le maître de Souna!

Ils reposent leur bol de petit-déjeuner en même temps et me regardent. Je ne dis rien.

— Qu'est-ce que tu proposes? demande Papa après un moment.

– On la garde.

– Et Arthur ? dit Maman.

Pendant un instant, j'ai oublié Arthur. Arthur qui prend tous les jours des nouvelles de Souna, Arthur qui aime tant les animaux. Il a mérité Souna. Pas moi. Pourtant, je sais que je ne pourrai pas, je ne veux pas me séparer de mon chien. Je murmure très doucement :

– Je vais lui téléphoner, je vais lui expliquer, il n'a pas encore vécu avec Souna, il ne l'aime pas encore. Moi, c'est trop tard.

Maman et Papa se taisent, je

voudrais qu'ils comprennent mais leurs regards restent vides.

Ils me laissent téléphoner sans bouger. Je parle à Arthur sans reprendre mon souffle.

Il attend puis il dit :

— Ne t'énerve pas comme ça. Je le savais, Maman m'avait prévenu, elle était sûre que tu voudrais garder Souna. Moi aussi, je vais avoir un animal, elle a promis. Tu m'aideras à choisir ?

Je respire profondément. C'est d'accord, nous irons ensemble choisir son animal. Et on emmènera Souna.